FiLMES

CB051060

Ciranda Cultural

FiLMES

1. Em um belo dia, formigas decidiram dançar dentro de uma caneta. Qual é o nome do filme?

2. Num lugar onde só existiam pizzas, as de aliche foram expulsas pelas pizzas de ervilha. Qual é o nome do filme?

3. Um rapaz está passando com um saco de cimento na frente de um cinema. Qual é o nome do filme?

4. Um homem trabalhava cuidando de uma horta, mas decidiu se aposentar. Qual o nome do filme?

5. Um cão entrou em uma obra levando uma marmita. Qual é o nome do filme?

6. **O filho e o pai se despediram rapidamente. Qual é o nome do filme?**

RESPOSTAS: 1. In the pen dance day. 2. Aliche no País das Más Ervilhas. 3. Nenhum, o cinema está em construção. 4. O Ex-Hortista. 5. O Cão-peão. 6. Tchau Pai, Tchau Filho.

7. Dez meninos compraram um saquinho de bala de menta, subiram em uma árvore e começaram a arremessar as balas em todo mundo que passava pela rua. Qual o nome do filme?

8. Um dia os analgésicos se reuniram para dar o troco. Qual o nome do filme?

9. O padeiro esqueceu o forno aberto e o sonho saiu correndo. Qual é o nome do filme?

10. Qual a carta de baralho que o Batman não gosta?

11. Uma nota de 100 reais coloca medo em todas as outras. Qual o nome do filme?

12. **Não era do fogo. Qual é o nome do filme?**

13. Um cara comeu um quilo de alho e depois escovou os dentes. Qual é o nome do filme?

RESPOSTAS: 7. Os Dez Manda-mentos. 8. Os Vinga-dores. 9. Um Sonho de Liberdade. 10. Coringa. 11. O Poderoso Cifrão. 12. Era do Gelo. 13. Mudança de Hálito.

FiLMES

14. Para comprar uma bola, um homem teve de escolher entre a vermelha e a azul. Ele escolheu a vermelha. Qual é o nome do filme?

15. Uma moça usava um grampo de ferro que começou a enferrujar. Ela, então, pediu para uma mulher forrá-lo. Qual o nome do filme?

16. Um homem tinha como profissão cuidar de ursos. Certo dia ele largou a profissão. Qual o nome do filme?

17. Numa festa de aniversário, um menino insistiu com o pai para que pegasse uma bexiga para ele estourar. Qual o nome do filme?

18. Uma laranja conserta carros. Qual o nome do filme?

19. Eles são bem pequenos e estão sempre ligados. Qual o nome do filme?

20. Um tênis afunda no meio do mar. Qual é o nome do filme?

21. Um peixe ganhou um título de nobreza. Qual o nome do filme?

22. Qual o filme preferido dos estudantes na quinta-feira?

23. Uma aranha decidiu abrir uma pequena empresa. Qual o nome do filme?

24. **Uma pessoa muito engraçada, mas que nunca fala a verdade. Qual o nome do filme?**

25. Qual é o sanduíche preferido de quem tem poderes especiais?

26. Como o Batman faz para abrir a bat-caverna?

27. Qual é o canal de televisão favorito do Thor?

RESPOSTAS: 21. Tu-barão. 22. O dia depois de amanhã. 23. O MEI-Aranha (Homem Aranha) 24. Divertida-mente. 25. X-men. 26. Ele bat-na porta. 27. O His-Thor-y Channel.

FiLMES

28. Um cara estava na rua com vários documentos na mão, de repente, começou uma ventania que fez todos os documentos desaparecerem. Chegando ao serviço, ele deu uma desculpa ao chefe. Qual é o nome do filme?

29. Depois que o Loki morreu, como o Thor ficou?

30. Para onde o Thor gosta de ir nas férias?

31. Qual é o fast-food preferido do Kong?

32. Qual é a matéria preferida do Thor?

33. Um cara foi ao parque e se sentou em um cachorro. Qual é o nome do filme?

34. Um carro anda a 100 km por hora enquanto o condutor e o passageiro comem pimentas superpicantes. Qual o nome do filme?

35. Numa cidade só existia moto Yamaha e só uma moto Honda. Qual o nome do filme?

36. **Um médico muito louco inventou um remédio que curava a dor antes mesmo dela aparecer. Qual o nome do filme?**

37. Um empresário contratou vários caminhões de luxo para transportar sua carga. Qual é o nome do filme?

38. Um programador precisa resolver um erro no seu código, que dá sempre o mesmo número. Qual o nome do filme?

39. Um joalheiro impiedoso derrete todas as joias para ter cada vez mais ouro. Qual é o nome do filme?

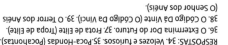

RESPOSTAS: 34. Velozes e Furiosos, 35. Poca-Hondas (Pocahontas), 36. O Extermina Dor do Futuro. 37. Frota de Elite (Tropa de Elite). 38. O Código Dá Vinte (O Código Da Vinci), 39. O Terror dos Anéis (O Senhor dos Anéis).

FiLMES

40. Um homem trabalha arquivando fichas. Qual o nome do filme?

41. Durante um passeio de barco, dois homens deixam escapar o remo e agora precisam encontrá-lo para conseguir voltar pra casa. Qual o nome do filme?

42. Uma comandante está cada hora em um lugar diferente. Qual o nome do filme?

43. **Um cachorro vai ao cinema e se senta numa poltrona que tem um prego. Qual é o nome do filme?**

44. Um chef de cozinha errou a receita, e o cliente do restaurante foi até a cozinha reclamar. Qual é o nome do filme?

45. Um homem bateu a cabeça na quina de uma mesa e morreu. Qual é o nome do filme?

46. Qual é o nome do filme do homem que foi ao cinema e roubou dois copos?

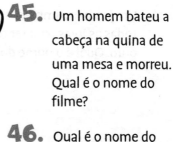

8

47. Uma garota chamada Jô sonhou que estava nadando no Espaço Sideral. Qual é o nome do filme?

48. Um homem estava tentando pedir uma pizza pelo telefone, mas discou o número errado e acabou ligando no fórum da cidade. Qual o nome do filme?

49. Uma mulher decidiu acabar com todas as ervilhas do mundo. Qual o nome do filme?

50. **Antes de começar o filme, um menino muito chato pegou um lápis e rabiscou a tela inteira do cinema. Qual o nome do filme?**

51. Havia um gato chamado Tido que dormia num cesto. Um dia, ele fugiu, deixando o cesto vazio. Qual o nome do filme?

52. Uma atriz de teatro faz várias audições, mas não consegue nenhum papel. Qual o nome do filme.

53. Um menino encontrou um homem muito forte e lhe perguntou as horas. Qual o nome do filme?

54. Em uma loja de motos, havia 5 Suzukis, 7 Yamahas e 1 Honda. Qual é o nome do filme?

RESPOSTAS: 47. Jo Nada nas Estrelas (Jornada nas Estrelas). 48. Linha da Justiça (Liga da Justiça). 49. Mulher-Mata-Ervilha (Mulher-Maravilha). 50. Risco total. 51. O Cesto Sem Tido (O Sexto Sentido). 52. Matrix (Má-atriz). 53. Que horas são valente (Coração Valente). 54. Pocahontas.

FiLMES

55. Um grupo de heróis protege uma barra de chocolate branco. Qual o nome do filme?

56. Os fantasmas organizaram um clube de leitura para estudar poesia. Qual é o nome do filme?

57. Cientistas tentam descobrir por que a cidade de Itu tem coisas gigantes. Qual é o nome do filme?

58. Cena 1: "O pato quer ser galo". Cena 2: "O pato quer ser passarinho". Cena 3: "O pato quer ser papagaio". Qual o nome do filme?

59. Um padeiro faz uma massa que não quer crescer. Qual o nome do filme?

60. Uma mulher chamada Indi se apaixonou por um homem chamado Jones. Qual o nome do filme?

RESPOSTAS: 55. Guardiões da Galak (Guardiões da Galáxia). 56. Sociedade dos Poetas Mortos. 57. A Teoria de Itu (A Teoria de Tudo). 58. Missão Impossível. 59. Peter Pão (Peter Pan). 60. Indi Ama Jones (Indiana Jones).

10

61. Um homem foi a uma loja e pediu para o vendedor um sapato tamanho 40. O vendedor disse que não tinha, mas quando olhou num canto da loja, subitamente, encontrou. Qual o nome do filme?

62. Havia dois ratos roendo a cópia de um filme no porão de um estúdio. O que um dos ratos metido a crítico disse?

63. O nome dele não é televisão nem computador, nem celular. Qual é o filme?

64. Um grupo de teatro foi fazer um show, mas tudo deu errado e a plateia detestou o espetáculo. Qual o nome do filme?

65. Um homem entrou na sala de cinema quando tudo estava completamente escuro, e mesmo assim encontrou um lugar. Qual o nome do filme?

66. Uma orquestra esteve reunida, mas não conseguiu tocar nenhuma música. Qual o nome do filme?

67. Um homem ganha um dragão de presente e procura um manual para aprender a cuspir fogo, assim como o dragão. Qual o nome do filme?

RESPOSTAS: 61. De Repente Tinha (De repente 30). 62. "Gostei mais do livro". 63. Meu nome é Rádio. 64. Horrendo Show (O Rei do Show). 65. O Iluminado. 66. Os Intocáveis. 67. Como Queimar o Seu Dragão (Como Treinar o Seu Dragão)

FiLMES

68. Comprei uma passagem para uma viagem de ônibus e o lugar do meu lado estava vago; então, aproveitei para colocar minha mala no banco. Qual o nome do filme?

69. Uma família faz muitas coisas heroicas, mas ninguém é capaz de crer neles. Qual o nome do filme?

70. Um dia, uma lagarta entra em seu casulo, e, então, uma transformação acontece. Qual é o nome do filme?

71. Um restaurante tradicional de frutos do mar resolveu vender comida natural. Qual o nome do filme?

72. Um grupo de turistas decide acender uma fogueira na ilha e atrasa a partida de volta para a viagem até o Caribe. Qual é o nome do filme?

73. Que espécie de estrela usa óculos escuros?

74. Na entrega do Oscar, todos os que iam receber o prêmio levavam um golpe com um jornal. Qual o nome do filme?

RESPOSTAS: 68.Mala e Eu (Marley e Eu). 69. Os Incríveis. 70. É Feito Borboleta (Efeito Borboleta). 71. Mudanças de Hábito. 72. Pira Atrasa o Caribe (Piratas do Caribe). 73. Estrela de cinema. 74. Jornal-da nas estrelas (Jornada nas Estrelas).

75. Em uma fazenda, há diversos touros. Um deles tem os chifres enormes, e todos os outros morrem de medo dele por isso. Qual o nome do filme?

76. Um menino chamado Robin vivia mexendo com seu irmão caçula. Um dia, o irmão caçula contou à sua mãe. Qual o nome do filme?

77. **Lilo estava viajando e, quando tirou as roupas da mala, percebeu que elas estavam muito amassadas. Então, começou a esticá-las para desamassar. Qual o nome do filme?**

78. Qual é o rei que dorme ao ar livre e tem medo de rato?

79. Arnold Schwarzenegger deve matar uma ostra que ainda não existe. Como é o nome do filme?

80. Um grupo de amigos estava combinando a carona da volta para casa depois de uma festa. Téo combinou de trazer Silvana. Qual o nome do filme?

RESPOSTAS: 75. O Poderoso Chifrão (O Poderoso Chefão). 76. Bate, mãe, em Robin (Batman e Robin). 77. Lilo Estica (Lilo & Stitch). 78. O Rei Leão. 79. Ostraminador do Futuro (O Exterminador do Futuro). 80. O Téo Traz Silvana (Hotel Transilvânia).

FiLMES

81. O Diabo tinha uma mania terrível de ler gibi quando ia ao cinema. Qual o nome do filme?

82. Uma bolinha vermelha deixou a azul para fora. Qual é o nome do filme?

83. Mega nunca fala a verdade. Qual é o nome do filme?

84. Um restaurante ofereceu almoço grátis para todos. Qual o nome do filme?

85. Uma mulher chamada Fro faz muitas horas de meditação. Qual é o nome do filme?

86. Num planeta distante, os dias eram escuros, nada brilhava. Qual é o nome do filme?

87. **Qual é o nome do filme do homem que foi ao cinema e roubou três copos?**

88. No dia da eleição, uma criança acompanhava sua mãe, mas a fila na seção eleitoral estava muito grande, então a criança perguntou ao fiscal o nome de um filme. Qual foi?

89. Numa festa de crianças, todos os convidados pegavam bexigas e as estouravam! As crianças se sentavam nas bexigas, as mordiam e apertavam, tentando estourará-las. No cantinho da sala, havia um menino que estava triste vendo os outros brincarem. Um homem notou essa situação, pegou uma das bexigas e deu para o menino, que ficou todo contente em poder brincar também! Qual é o nome do filme?

90. Um macaco queria falar, depois queria voar, depois queria virar papagaio. Qual o nome do filme?

91. Vários garotos vão ao antigo paço municipal e se perdem. Qual é o nome do filme?

92. Quando o esquimó pisou no iglu, houve uma explosão. Qual o nome do filme?

93. Qual o instrumento musical preferido do Batman?

94. Um homem foi ao cinema e roubou um copo. Qual o nome do filme?

RESPOSTAS: 88. Que Horas Ela Volta? (Que Horas Ela Volta?). 89. Tô, estoure (Toy Story). 90. Missão impossível. 91. Perdidos no Ex-paço (Perdidos no Espaço). 92. O iglu-minado (O iluminado). 93. A bat-eria. 94. Roubo-copo 1 (Robocop 1).

15

FiLMES

95. Em uma galáxia distante, duas estrelas conversam apenas entre elas. Qual é o nome do filme?

96. **Qual é o sabor de sorvete de que os Vingadores não gostam?**

97. Todas as pessoas têm mais de 2 m de altura. Qual o nome do filme?

98. Dois gatinhos brincam com um novelo de lã, mas acabam dando um nó e ficando presos. Qual o nome do filme?

99. O tabuleiro de xadrez, as cartas do baralho e as pedras do dominó se reuniram para assaltar a geladeira. Qual o nome do filme?

100. No tribunal espacial, o juiz decidiu que os astros não seriam inocentados. Qual é o nome do filme?

RESPOSTAS: 95. Interestelar. 96.Napoli-Thanos.
97. Gente Grande. 98. Enrolados. 99. Jogos
Vorazes. 100. A Culpa É das Estrelas.

16